JN213417

ひまりと ふしぎなあの子

深山さくら　作
北沢優子　絵

今日から　ゴールデンウイーク。

「花ぐもりだね、おばあちゃん」

ひまりは、空を　みあげて　いいました。

今日のような　くもった　春の空を、

「花ぐもり」と　いうのだそうです。

「ほら、山が！　わらってる！」

ちんじゅの森の先、ずっと遠くに、山やまが
みえています。山ざくらの　うすいピンク色、
まんさくの花の　あかるい　黄色、わかばの

やわらかい　黄(き)みどり色(いろ)……。
「めぶきを　むかえた　山(やま)のようすを、
『山(やま)わらう』っていうのよ。
雪(ゆき)がとけて、春(はる)が　きたのが
うれしくて、山(やま)も　ついつい
わらっちゃうよね」
いつだったか、たのしそうに
おしえてくれたのは、
おばあちゃんでした。

ひまりは、りょう手（て）をあげ、しんこきゅうを
しました。
「春（はる）になったよ、やっと！」
ひざしが、あたたかく　かんじられます。

おばあちゃんが　なくなって、はじめて
むかえた春、ひまりは　一年生になりました。
ひまりの家の　しごとは、スイカのうかです。
ゆるやかに　のぼる道の　そばに、ひろいスイカ
ばたけが　ふたつ　ならんでいます。ひくい
ほうを、ユキばたけ。もうひとつを、ツキばたけ
とよんで、くべつしていました。

今日は、お父さんとお母さんが　ツキばたけに
スイカのなえを　うえるので、ついてきています。
ビニールを　はった、せのひくい　トンネルの
ような　うねと、うねのあいだを　ぶらぶらして
いるときです。茶色い小鳥が、地面の上を
かけぬけ、ぱっと　とびたちました。

ピーチブ！　ピーチブ！　ピチュ　ピチュ
ピチュッ！　ピチュ　ピチュ　ピチュッ！

上空から、さわがしい　さえずりが

きこえてきました。
ひまりが　空を
みあげたときです。
ぶわっと
風がふいて、はたけの
土を　まきあげました。
ひまりは　思わず、
ぎゅっと　目を
つぶりました。

「こっち　こっち！　きてきて！」
しらない子（こ）が　ユキばたけで、
ぴょんぴょんしながら、手（て）まねき　しています。
「わたしのこと？」
ひまりは、大（おお）きな声（こえ）で　ききました。
「うん！」
その子（こ）の　ツインテールが　ぴょこ　ぴょこ
はねているのが　おもしろくて、ひまりは
くすくすしながら、ちかよっていきました。

「あれね、ひばりだよ。ひばりのオス」
三年生くらいの　その子は、ぽんぽんと
はずむように　いいながら、空を　さしました。

「メスには、ぼくと　けっこんして。オスには、
おれの　なわばりだぞ、って　いってるよ」

ただ、さわがしく　ないているだけかと
思っていました。

「ひなが　いるから、みせてあげる」

その子は、思いだしたように　いいました。

「ひなって、ひばりの？」

「うん。あっ、わたしは、さあちゃん！」

「わたしは、ひばり。ちがった。ひまり。

ひばりと　ひまり、　にてる」
ふたりは、　けらけらと　わらいました。

ユキばたけの　はじまで　いくと、
さあちゃんは、立てた　ひとさしゆびを
口に　あてました。
（しずかに　するんだね。わかった）
ひまりは、こくんと　うなずきます。
さあちゃんは、ひまりの前を　まるで
にんじゃのように　歩いていきます。あやしい
ふんいきに、ひまりは　わくわくしました。
さあちゃんの　ゆびが、地面を　さしました。

―ほら、あそこだよ。
くちびるの　形だけで　いいました。
ゆびの先を　目で　おっていくと、なにかが
うごいたように　みえました。

―ひばりの　おやだよ。
地面の上に、茶色い小鳥が　すわっています。
土の色と　とけあい、目をこらして
よくみないと、いるかいないかも　わかりません。
―目くらましのじゅつ。
ひまりが　うなずくと、また、さあちゃんの
くちびるが　うごきました。
―ひなを　だいているよ。
（みたい！）

ひまりの足が　一歩、でてしまったのです。
おやどりは　さっと　立ちあがると、すごい
はやさで　かけていき、とびさってしまいました。

まばたきする　ひまも　ないくらいです。目を
丸くしていると、さあちゃんが　いいました。
「今の、みた？　あっちに　はしってから、
とびたったでしょ？　すの　ばしょが
みつからないようにだよ。すから　はなれてから
とんで、てきを　だますの。ひなを
まもるためだよね。ひばりの　子そだてには、
あいが　つまってるんだ！」
さあちゃんが、目を　きらきらさせました。

おやどりが　いた　くぼみには、小さな
ひならしき　生きものが、のこされていました。
くたっとして、しんでいるようです。

とつぜん、ひまりの　口の中に、
すっぱいものが　こみあげてきました。

「うっ……」

「ど、どうしたの？」

「しんでる……」

「ちがう　ちがう。生きてるよ。ほらみて」

さあちゃんは、その場に　しゃがみこむと、
ひなに、そうっと　いきを　ふきかけました。

ひなは、ふいてきた風に

びっくりしたかのように　頭(あたま)をもたげ、
チュリチュリと　小(ちい)さく　なきました。
ひまりは、ごくんと　つばを　のみこみました。
「よかったあ！」
「ちゃんと　生(い)きてるから、だいじょうぶ、
だいじょうぶ。
ひまりちゃんって、
やさしいね」

そういいながら、さあちゃんは　ひまりの
せなかを　なでてくれました。すりすり、
すりすり。さあちゃんの　手のぬくもりが
つたわってきます。
（あれ？）

いつか、だれかに　やってもらったことが
あったような　気(き)がします。ひまりは、ほうっと
いきを　はきました。
「人間(にんげん)がくるから　しずかに　してて、って、
お母(かあ)さんが　いったのかもね。しんだふりが
うまい。ひまりちゃんたら、だまされた！」
ふふふっと　さあちゃんが　わらいました。

ふたりは、それから　ひなの　かんさつを
しました。

「くぼみに　かれ草が　しいてある。
ベッドだね」

ひまりは、ひなの
小さな　体の下に
しかれた　かれ草を
みて　いいました。

「あれ？　これって⁉」

こゆびの　先ほどの　たまごを　ひとつ、
みつけました。黒と、茶色の　てんてん
もようが　ついています。
「たまごだ！　たまごも、目立たないね！」
たのしそうに　そういう　さあちゃんに、
ひまりは　いいました。
「目くらましの　じゅつだね！」
そして、ふたりは、大きめで　黒っぽいひなの
ほうに「あんこ」、小さめで　茶色っぽい

ひなには「くるみ」と　名(な)づけました。

たまごの子(こ)は、「ずんだ」に　しようと、
さあちゃんが　いいだしました。

「ずんだって、あのずんだ？」

ひまりは、くすくす　わらって　ききました。

「うん。あのずんだ。わたし、大(だい)すきなんだよね。

ずんだのおもちに、ずんだのだんご！」

「わたしも！」

ずんだとは、ゆでたえだまめを、すりばちで

ごりごり　すって、さとうを　くわえて
あまくしたものです。おばあちゃんと
つくったことが　ありました。
「さいごに、しおを　すこし　いれるって、
ひまりちゃん、しってた？」
「うん！　そうすると、もっと　あまくなるよね」
「わたし、しおみたいな　ひとに　なりたいな」
「しおみたいな？」
さあちゃんは、にこっと　わらって

いいましたが、ひまりには　よくわかりません。

「そろそろ　夕方(ゆうがた)だね。帰(かえ)ろうかな」

「また　会(あ)える？」

「うん、ひばりちゃん。ちがった！

ひまりちゃん」

さあちゃんは、「きっとね」と　いいのこし、

森(もり)のほうへ　かけていきました。

こずえが、さわさわと　風(かぜ)に

ゆれるのが　みえました。

お母さんの運転する　けいトラックの助手席にすわり、ひまりは　遠くの山やまを　みています。

わらった山は、夕ぐれの　ときを　むかえ、うすい　むらさき色の、とても　うつくしい色にかわっています。

「あのね、お母さん」

ひまりは、さあちゃんのことや、ひばりのひなに　名前を　つけたことを　はなしました。

「ひばりのすが　あるの、しってた？」

「ううん、ぜんぜん！」

「やっぱりね。でもさ、気がつかないのが ふつうだよ。地面の色と、くべつが つかないもん。さいしょは わかんなかったけど、 わたし、もう わかるよ」

ひまりは、くいっと むねを はります。

「すごいねー！ そういえば、おばあちゃんって、 小鳥が すきだったよね。ほら、野鳥ずかん、 たいせつに してたでしょ」

「わたし、みたことある！」

おばあちゃんの　へやには、たくさんの本(ほん)が

あって、その中(なか)に　野鳥(やちょう)ずかんも　ありました。

おばあちゃんは、ひまりが　いつ　いっても、
にこにこと　むかえて　くれました。
きれいに　せいとんされ、あまくて
いいかおりが　するへやに、ひまりは一日に
なんかい　いったでしょう。いっしょに
おり紙をしたり、絵をかいたり、カードゲームを
したり。おしゃべりも　いっぱい　しました。
いっしょに　さんぽも　しました。公園で
あそびました。おばあちゃんの　車で

おでかけも　しました。ひまりは、たのしくて
やさしいおばあちゃんが、大すきでした。

ぎゅっと　だいてくれ、「だいじょうぶ、
だいじょうぶ」と、せなかを
なでてもらったことも、一回や
二回ではありません。
「せなか　なでなで」しながら、おばあちゃんが
きまって　いうことばは、「おばあちゃんは
いつだって、ひまりの　おうえんだんよ。
おばあちゃんは、ひまりが　大すき」です。
それを　きくと、ひまりは　どんなことでも

やっていけそうな　気がするのでした。

「あっ！　おばあちゃんだ！」

ひまりは　声をあげました。

「おばあちゃん？　どういうこと？」

お母さんが、ふしぎそうな顔をしています。

さっき、さあちゃんが　せなかをなでてくれたのって、おばあちゃんににてたんだ！

そう思ったからです。

「ひまり、まっててね」
お母さんは　車を止め、おりていきました。
すこしして　もどってきた手には、ずんだの
おだんごが　ありました。

「一本（ぽん）、どうぞ。おなかが　すいたでしょ？」

「うわっ、おいしそう！」

ずんだが　つやつやしています。

ひまりは、ぱくっと　ほおばりました。

（そういえば、おばあちゃんと　つくったときも
つやつやだった。それも　しおの　おかげ？）

かんがえながら　もぐもぐ　食べていると、
あの　雪の日のことが　うかんできました。
前日は、ひまりの　たんじょう日でした。
「おばあちゃん。バースデーケーキ、
おいしかった！　どうもありがとう」
「どういたしまして。ひまり、ちょっと
いってくるわね」
「うん！　かえってきたら、おばあちゃんの顔、
かいてあげるね」

「あら！　うれしい」

　そういって、車（くるま）で　でかけていった
おばあちゃんは、車（くるま）のじこに　まきこまれ、
つめたくなって　かえってきたのです。

「おばあちゃんが　なくなった」と
きかされても、ひまりは　なにが　なんだか
わかりませんでした。心（こころ）が
こおってしまったのでしょうか。
いってきの　なみださえ　でませんでした。

お母さんは　しくしく　ないていましたが、
お父さんの心も　こおってしまったのか、
お父さんは　なきませんでした。
ひまりは　すこし　ほっとしました。
お父さんも　ないてないんだから……と。
おそうしきが　おわり、おばあちゃんのへやに
いくと、お父さんが　むこうをむいて　ひとりで
すわっていました。「なにしてるの？」と、声を
かけようとして、いきをのみました。

お父さんのかたが、ふるえていたからです。
（ないてる！）

わたしは、どうして　なかないんだろう？
おばあちゃんのこと、大すきだったよね？
わたしって、つめたい子？
ひまりは、自分をせめました。
おばあちゃんの　へやに　いけなくなったのは、
それからです。

その夜、ひまりは、今日あった　できごとを、
スケッチブックに　かきました。

てきを
あざむく
ほうほう
めくらまし
のじゅつ

つぎの日も、お母さんに　くっついて、
はたけに　いきました。
「そうっと、そうっと……」
ひまりは　しのび足で、ひばりのすに
ちかよります。
　そのとき、一羽のひばりが　空から
おりてきました。すから　はなれたところに
おりたつと、すのほうへ　歩いていきます。
（あっ！　てきを　だましてる！）

ひなに　えさを　あたえるのかもしれません。

すこしすると、白っぽい　なにかを　くわえて、歩いていきました。そして、ぽいっと地面にすてて、とびたちました。

ひまりは、しのび足で　みにいき、その白いものを　ゆびで　つつこうとしましたが、気づいて　やめました。

「これって、フンだ！」

ひなのおしりから　でたばかりのようです。ぬれて　つやつやしています。

「まさか、フンを　くわえちゃうなんてね」
ひばりの子そだてには、あいがつまってると、
さあちゃんが　いっていたとおりです。
ひまりは、すにちかづき、のぞきこみました。
「あっ！　ずんだ！」
ひなのかずが、三羽になっています。ずんだは、
あんことくるみに　もたれかかり、くたっと
しています。

ひまりが　そうっと　いきを　ふきかけると、
ずんだは、小さな頭をもちあげ、
チュリチュリとなきました。
あんことくるみは、きのうよりも　たくましく
みえます。
「大きくなるのが、はやいねえ」
そのときです。
「ひまりちゃん！」
さあちゃんが　わらっています。

「さあちゃん！　ずんだが　生まれたよ」

「えっ？　ほんとだ！　ちっちゃいねえ。
生まれたんだねえ。ずんだ、おたんじょう
おめでとう」
「あたらしい　いのちが　生まれるって、
うれしいね！」
　ふたりは、ハッピーバースデーの　うたを
うたい、ずんだの　たんじょうを
おいわいしました。

わかれぎわ、ひまりは　いいました。

「こんど、うちに　あそびにきて！」

さあちゃんが　きてくれたら、ひばりのスケッチブックを　みてもらうんだ。

「うん！」

さあちゃんは、ツインテールを　ぴょこぴょこさせながら、はしっていきました。

その夜、ひまりは、今日　みたことを

絵にしました。
「ちっちゃいずんだ。
かわいいずんだ。
いっぱい、
ごはんを
食べて、
大きく
なるんだよ」

ずんだの頭に　赤いリボンをかいたときです。
（ごはんって、なに？）
ずんだが　なにを　食べるのか、しりません。
「草？　虫？　まさか　ずんだ？」
ひまりは、くくっと　わらいました。
「いっぱい食べてほしいのに、なにを食べるか
しらないなんて、どういうこと？」
ひまりは　自分に　いいました。
ふと、おばあちゃんの　ずかんを

思(おも)いだしました。ずかんになら、くわしく
のっているかもしれません。

つぎの日(ひ)です。ひまりは、おばあちゃんのへやの前(まえ)に　いました。

「おばあちゃん、こんにちは！」

自分(じぶん)の大(おお)きな声(こえ)に、自分(じぶん)でもびっくりしながら、思(おも)いっきり、ドアを　あけました。

「このにおい⁉」

おばあちゃんが　いたときとおなじ、あまくていいかおりが　しています。

「おばあちゃん、ひまりだよ！」

へやの中に　ずんずんと　はいっていき、
はんたいがわの　カーテンをあけると、あかるい
日が　はいってきました。
へやの中は、きれいに　せいとんされ、なにも
かわっていませんでした。ひまりが　かいた
なんまいもの絵が、かべに　かざったままです。
おばあちゃんは、ひまりが　絵を　かいて
わたすたび、「すごいわね！」といい、とても
だいじに　してくれました。

「あ、これ！　おばあちゃんと
虫とりしたときの」
　カマキリが、シュッと　かまを
ふりあげています。あのときは、とても大きな
カマキリを　つかまえたので、ふたりで
すごく　よろこびました。
「これは、すいぞく館に　いったときのだ」
　イルカが　かっこよく　ジャンプしています。
えさやりをしたとき、イルカの口のおくまで

みえて、　どきどきしました。

「これは、　どうぶつ園だ」

ゾウとキリンとフラミンゴをかいたものです。

きれいな　もみじを　ひろったので、　それも絵の
中に　はりつけました。

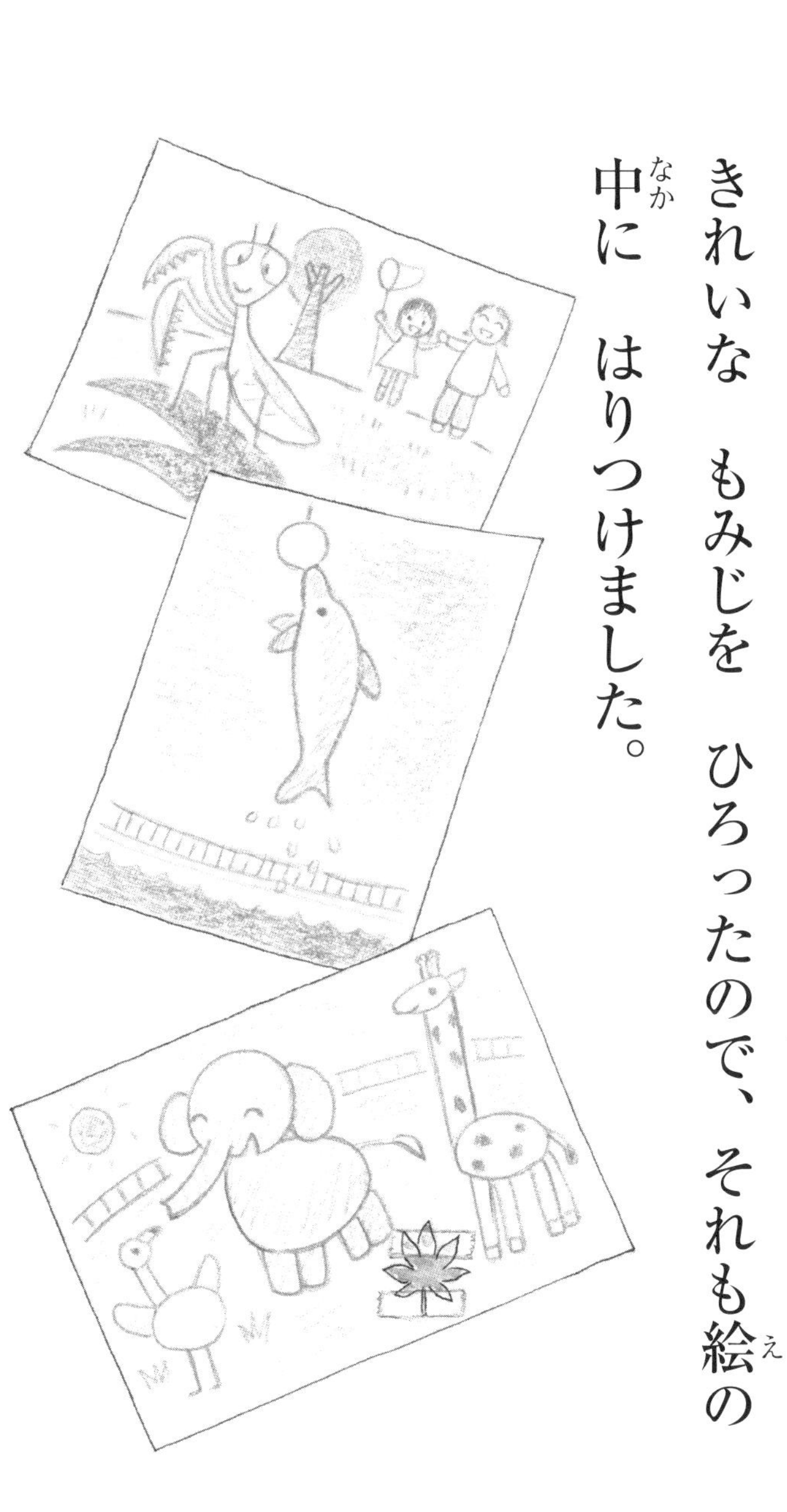

「えっ？」

ひまりは、その一まいの絵に、目を
みひらきました。

「これって……」

それは、おばあちゃんが　かいた
「ひまり」でした。バースデーケーキを
うれしそうにみつめ、わらっています。ケーキの
上には六本の　ろうそくがならび、どのろうそく
にも、オレンジ色の火が　ともっています。

ひまりちゃん
6さいおめでとう

（かいてくれてたんだ！）
はなのおくが、じんわりと
あつくなってきて……。
「おばあちゃーん！」
ひまりは、なきだしてしまいました。
なみだは、あとから　あとから　わいてきて、
ぜんぜん　止まりません。なきじゃくっていると、
ふと、せなかに　あたたかい　ものを
かんじました。

ひまりは　顔をあげました。おばあちゃんが
「せなか　なでなで」してくれているような
気が　したのです。

ひまりは　目を　つぶり、耳を　すまし、
あのことばを　思いうかべました。
―おばあちゃんは　いつだって、ひまりの
おうえんだんよ。おばあちゃんは、ひまりが
大すき。

ひまりは、なみだをぬぐい、こくんと
うなずきました。そして、本だなのところに
いくと、野鳥ずかんを　むねに　ぎゅっと
だきしめました。

野鳥

その夜(よる)、ひまりは、スケッチブックに、
ずかんで　しったことを　かきくわえました。

・エサは、虫や
しょくぶつのたね。

・ひなは、ふかして
10日で、すだつ。

（じめんのすは、きけんが
大きいので、
ひなのせいちょうは
とってもはやい!!）

ゴールデンウイークは、今日でさいごという日です。ひまりは　リビングで絵をかいています。

「おばあちゃんの顔は……。えっと、まるくて……かわいいかんじ。かみのけは、ちょっと　長くて……。ふわっとしてて」

思いだしながら　かいた　おばあちゃんをみて、ひまりは　くすくす　わらってしまいました。

なんとなく、自分に　にているのです。

「そっか、わたしが　にてるんだ！」

おばあちゃんの　となりに、
にている自分も
小さく　かきくわえました。
ひまりは、おばあちゃんの
へやにいき、
おばあちゃんが　かいた
「ひまり」のとなりに、かきあげた絵をかざると、
へやのドアを　しずかにしめました。

お母(かあ)さんの車(くるま)にのって、はたけに　いくと、
すには、ずんだだけが　いました。
「おいてかれちゃったんだ⁉」
あんこと　くるみは、ぶじに
すだったのでしょう。
「だいじょうぶ、だいじょうぶ。ちゃんと、
とべるようになるよ。わたし、ここには
もうこないけど、ずんだのこと
おうえんしてるからね」

ひまりは　立ちあがり、遠くの　山やまを
みつめました。山のみどりが
こくなっています。
さあちゃんが　いった、「しおみたいな
人に　なりたい」のいみが、今なら　すこし
わかります。
ひまりは、くっと　空を　みあげました。
「おばあちゃーん、ありがとう！　わたし、

だいじょうぶだよー！　わたしも、
おばあちゃんのこと、大（だい）すき！」
　春（はる）の　花（はな）ぐもりから、すっきりとした
しょかの青空（あおぞら）に　かわった空（そら）に　むかって、
ひまりは　そうさけびました。
　ピーチブ！　ピーチブ！　ピチュ　ピチュ
ピチュッ！　ピチュ　ピチュ　ピチュッ！
ひまりの声（こえ）に　こたえるかのように、ひばりの
さえずりが　ひびいています。

おわり

作家　**深山さくら**（みやま さくら）

山形県上山市生まれ。

『かえるのじいさまとあめんぼおはな』（絵／松成真理子、教育画劇）で第19回ひろすけ童話賞受賞。里山を題材にした絵本・童話を数多く執筆、自身も読み聞かせ講演を行うなど、童話作家として幅広く活躍中。主な作品に『かかしのじいさん』、『こすずめとゆき』（いずれも佼成出版社）、『でんしゃとしょかん』、『大好き！ おじさん文庫』（いずれも文研出版）、『ぼくらのムササビ大作戦』（国土社）、『わたし、いえた！』（岩崎書店）などがある。絵本学会会員。日本児童文芸家協会理事。

画家　**北沢優子**（きたざわ ゆうこ）

埼玉県在住。

跡見学園女子大学国文科卒業。

日本こども文化専門学院童画イラスト科で絵を学ぶ。

第17回現代童画展新人賞、第17回サンリオ「詩とメルヘン」イラストコンクール佳作賞。絵本、月刊保育絵本、教科書、教材、詩集の挿絵、児童書の装画・挿絵、グリーティングカードなどに幅広く活躍している。主な作品に『とべ！ひこうきかぜにのって』（アリス館）、『あかちゃんのわくわくにっき』（共同印刷）などがある。

ひまりとふしぎなあの子　NDC913

発行　2024年10月31日　第1刷発行

著　者　深山さくら
画　家　北沢優子

装　丁　祝田ゆう子

発行者　小松崎敬子
発行所　株式会社岩崎書店
〒112-0014　東京都文京区関口2-2-3　7階
電話 03-6626-5080（営業）　03-6626-5082（編集）

印　刷　株式会社光陽メディア
製　本　株式会社若林製本工場

ISBN978-4-265-07467-9
Published by IWASAKI Publishing Co., Ltd. Printed in Japan.

岩崎書店ホームページ● http://www.iwasakishoten.co.jp
ご意見ご感想をお寄せください。E-mail● info@iwasakishoten.co.jp
落丁、乱丁本はおとりかえいたします。